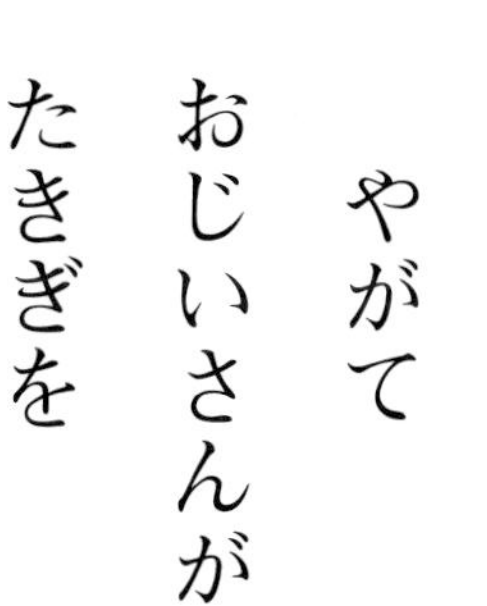

やがて
おじいさんが
たきぎを
せおって、
山から　かえってきました。
子犬は　しっぽを　ふって　出むか
えます。おばあさんから　わけを　き
いて、おじいさんも　いいました。
「だいじに　そだててやろう。」

二人は
子犬に
『しろ』と
名まえを　つけて、
子どもの　ように
かわいがりました。やがて　大きな
犬に　そだった　しろは、おもい　に
もつを　力いっぱい　ひっぱって、や
さしい　二人を　たすけるのでした。

ある　とき、おじいさんがはたけをたがやしていると、しろが　ふくろをくわえて　はしってきました。そして、おじいさんを　山（やま）の　ほうへ　つれていこうと　します。

「よしよし。山（やま）へ　いきたいのか。」

しろは
どんどん
山おくへ
入って
いきます。やっと　立ち
どまると　おじいさんを　見上げて、
「ここ　ほれ、ワン　ワン。ここだよ、
ワン　ワン！」
「おや　おや、ここを　ほるのかい？」

おじいさんは　くわで　土を　ほり
はじめました。　すると　カチリと　音
がして、ピカピカ　ひかる　大ばん
小ばんが　ザクザク　出てきたのです。

ふくろに
入った
大ばん
小ばんを
見て、おばあさんも　びっくりしました。こんなに　たくさんの　お金は
見たことが　ありません。
「しろは　かみさまの　おつかいの
犬かも　しれませんよ。」

やさしい
二人は
お金の
つかいかたを
かんがえました。
「一人じめ　したら　ばちが　あたる
よ。こまっている　人に　あげよう。」
その　ようすを、こっそり　となり
の　おばあさんが　のぞいていました。

となりの
おばあさんは
とんで
かえると、
おじいさんに　おしえました。
二人とも　とても　よくばりでした。
「しろを　かりてきて、わしらも　大ばん　小ばんを　ほるんじゃ。村一ばんの　金もちに　なるぞ！」

よくばりな
おじいさんは
すぐに
しろを
かりに　やってきました。
「力もちの　しろに、はたけしごとを
手つだって　ほしいんじゃが。」
うそを　ついて、しろを　なわで
つなぐと　ひっぱって　いきました。

つぎの
あさ、
よくばりな
おじいさんは
大きな　ふくろを　しろに
ゆわえつけて、山おくへ　いそぎます。
「さあ　おしえろ！　大ばんは　ここ
か？　小ばんは　ここか？」
「ワン　ワン。ちがうよ。」

「ここか！」
よくばりな
おじいさんは
よく　ききも
しないで、土を　ほりました。
ところが、出てきたのは　虫や　ご
みばかり。おじいさんは　おこって、
しろを　たたきました。かわいそうに、
しろは　しんでしまいました。

やさしい
おじいさんが
しろを
むかえに　くると、
よくばりな　おじいさんは
へい気で　うそを　つきます。
「しろは　きゅうに　びょう気に　なっ
て　しんでしまったよ。うめた　とこ
ろに、木の　えだを　さしてきたぞ。」

「しろや、
かわいそうに
なあ。」
　やさしい
おじいさんが　おしえられた
ばしょに　いくと、なんと　えだが
ふとい　まるたに　なっていました。
「しろや。これで　うすを　つくって、
いえに　もって　かえるよ。」

やさしい
おじいさんと
おばあさんは
しろを
おもい出しながら、その
うすで　おもちを　つきました。ぺっ
たん　キラリ！　ぺったん　キラリ！
なんと　ピカピカの　大ばん　小ばん
が、うすから　こぼれおちてきます。

これを
しった
となりの
おばあさんは、
すぐに　うすを　かりに　きました。
「うちの　うすが　こわれたから、かしておくれ。」
そう　いって、さっさと　うすを
もっていってしまいました。

よくばりな
おじいさんと
おばあさんは
ちょっぴり
おこめを　入れただけで、
おもちを　つきはじめました。
すると、ぺったん　ガラガラ。ぺっ
たん　ゴロゴロ。うすから　ごみや
がらくたが　とび出しました。

「こんな
うすは
はいに
してしまえ！」
おこった　二人（ふたり）は　うすを
わると、もやしてしまいました。まも
なく　やってきた　やさしい　おじい
さんは、なみだを　こぼしながら　はい
を　ざるに　あつめました。

「しろや。
天ごくで
しあわせに
なるんだよ。」
いえに　かえる　と中、
かぜで　はいが　まい上がりました。
すると　どうした　ことでしょう。
かれ木に　ついた　はいが、花を　さ
かせたのです。

おじいさんは　木に　のぼって、はいを　一つかみ　まきました。みるみる　あたりは　花で　そまりました。ワン　ワン…。空の　かなたから、うれしそうな　しろの　こえが　きこえてきます。

そこへ
とおり
かかった
とのさまは
まんかいの　花（はな）に　大（おお）よろこび。
「これは　見（み）ごと。日本一（にっぽんいち）の　花（はな）を
さかせる　花（はな）さかじいさんじゃ！」
ごほうびを　もらって、おじいさん
は　みんなに　ごちそうしました。

よくばりな
おじいさんと
おばあさんも
ごほうびを
もらおうと、 はいを あつめて
とのさまの まえに いきました。
「わたしも 花を さかせましょう。」
でも、 かれ木に のぼって はいを
まいても、 花は さきません。

かんかんに　おこった　とのさまは、
二人（ふたり）を　つかまえてしまいました。
「もう　よくばりは　やめます。」
よくばりな　おじいさんと　おばあさんは　なんども　あやまって、ようやく　ゆるして　もらいました。